作者：李芯薇（Vivi Lee）
美術設計：Johnson
出版發行：奇異果文創事業有限公司
出版日期：2021 年 4 月 28 日
ISBN：9789860604757
定價：新台幣 350 元

二十一天
沁輪脈輪曼陀羅療癒日誌

在繪製沁輪脈輪曼陀羅之前，可以在靜心時自由書寫自己最近所遭遇的事情或想法，可參考以下問句方式。

1. 你現在的身體部位有不舒服的地方嗎？
2. 你今天有什麼事情正在發生？
3. 你現在的心情如何？
4. 有什麼是你現在聯想到的？（任何人事地物皆可）
5. 感知內在的自己有什麼話想說？

在繪製沁輪脈輪曼陀羅的過程中，有任何的想法或者針對繪製前問題的回答，都可以馬上記錄下來，不必特別在意文法語句，只須如實的將之記錄。

在完成繪製沁輪脈輪曼陀羅，將作品拿起，像欣賞藝術品一樣，360 度旋轉紙張，可參考以下問句方式，與自己對話並書寫下來。

1. 這個沁輪脈輪曼陀羅代表什麼？
2. 這個沁輪脈輪曼陀羅讓你有什麼感受？
3. 這個沁輪脈輪曼陀羅要告訴你什麼？
4. 給這個沁輪脈輪曼陀羅作品一個名字？
5. 給自己的正面肯定祝福。

作品命名：

Day 1　　日期：

繪製之前：靜心自由書寫最近的事件、想法、情緒等。

繪製過程：任何想法或內在訊息將之紀錄。

完成繪製：與完成沁輪脈輪曼陀羅對話。

給自己一句肯定的祝福

Day 2　　日期：

繪製之前：靜心自由書寫最近的事件、想法、情緒等。

繪製過程：任何想法或內在訊息將之紀錄。

完成繪製：與完成沁輪脈輪曼陀羅對話。

給自己一句肯定的祝福

作品命名：

Day 3　　日期：

繪製之前：靜心自由書寫最近的事件、想法、情緒等。

繪製過程：任何想法或內在訊息將之紀錄。

完成繪製：與完成沁輪脈輪曼陀羅對話。

給自己一句肯定的祝福

作品命名：

Day 4　　日期：

繪製之前：靜心自由書寫最近的事件、想法、情緒等。

繪製過程：任何想法或內在訊息將之紀錄。

完成繪製：與完成沁輪脈輪曼陀羅對話。

給自己一句肯定的祝福

作品命名：

Day 5　　日期：

繪製之前：靜心自由書寫最近的事件、想法、情緒等。

繪製過程：任何想法或內在訊息將之紀錄。

完成繪製：與完成沁輪脈輪曼陀羅對話。

給自己一句肯定的祝福

作品命名：

作品命名：

Day 6　　日期：

繪製之前：靜心自由書寫最近的事件、想法、情緒等。

繪製過程：任何想法或內在訊息將之紀錄。

完成繪製：與完成沁輪脈輪曼陀羅對話。

給自己一句肯定的祝福

Day 7　　日期：

繪製之前：靜心自由書寫最近的事件、想法、情緒等。

繪製過程：任何想法或內在訊息將之紀錄。

完成繪製：與完成沁輪脈輪曼陀羅對話。

給自己一句肯定的祝福

作品命名：

Day 8　　日期：

繪製之前：靜心自由書寫最近的事件、想法、情緒等。

繪製過程：任何想法或內在訊息將之紀錄。

完成繪製：與完成沁輪脈輪曼陀羅對話。

給自己一句肯定的祝福

作品命名：

Day 9　　日期：

繪製之前：靜心自由書寫最近的事件、想法、情緒等。

繪製過程：任何想法或內在訊息將之紀錄。

完成繪製：與完成沁輪脈輪曼陀羅對話。

給自己一句肯定的祝福

作品命名：

Day 10　日期：

繪製之前：靜心自由書寫最近的事件、想法、情緒等。

繪製過程：任何想法或內在訊息將之紀錄。

完成繪製：與完成沁輪脈輪曼陀羅對話。

給自己一句肯定的祝福

作品命名：

Day 11　　日期：

繪製之前：靜心自由書寫最近的事件、想法、情緒等。

繪製過程：任何想法或內在訊息將之紀錄。

完成繪製：與完成沁輪脈輪曼陀羅對話。

給自己一句肯定的祝福

作品命名：

Day 12　日期：

繪製之前：靜心自由書寫最近的事件、想法、情緒等。

繪製過程：任何想法或內在訊息將之紀錄。

完成繪製：與完成沁輪脈輪曼陀羅對話。

給自己一句肯定的祝福

作品命名：

Day 13　日期：

繪製之前：靜心自由書寫最近的事件、想法、情緒等。

繪製過程：任何想法或內在訊息將之紀錄。

完成繪製：與完成沁輪脈輪曼陀羅對話。

給自己一句肯定的祝福

作品命名：

Day 14　日期：

繪製之前：靜心自由書寫最近的事件、想法、情緒等。

繪製過程：任何想法或內在訊息將之紀錄。

完成繪製：與完成沁輪脈輪曼陀羅對話。

給自己一句肯定的祝福

作品命名：

Day 15　日期：

繪製之前：靜心自由書寫最近的事件、想法、情緒等。

繪製過程：任何想法或內在訊息將之紀錄。

完成繪製：與完成沁輪脈輪曼陀羅對話。

給自己一句肯定的祝福

作品命名：

Day 16　日期：

繪製之前：靜心自由書寫最近的事件、想法、情緒等。

繪製過程：任何想法或內在訊息將之紀錄。

完成繪製：與完成沁輪脈輪曼陀羅對話。

給自己一句肯定的祝福

作品命名：

Day 17　日期：

繪製之前：靜心自由書寫最近的事件、想法、情緒等。

繪製過程：任何想法或內在訊息將之紀錄。

完成繪製：與完成沁輪脈輪曼陀羅對話。

給自己一句肯定的祝福

作品命名：

Day 18　日期：

繪製之前：靜心自由書寫最近的事件、想法、情緒等。

繪製過程：任何想法或內在訊息將之紀錄。

完成繪製：與完成沁輪脈輪曼陀羅對話。

給自己一句肯定的祝福

作品命名：

Day 19　日期：

繪製之前：靜心自由書寫最近的事件、想法、情緒等。

繪製過程：任何想法或內在訊息將之紀錄。

完成繪製：與完成沁輪脈輪曼陀羅對話。

給自己一句肯定的祝福

作品命名：

Day 20　日期：

繪製之前：靜心自由書寫最近的事件、想法、情緒等。

繪製過程：任何想法或內在訊息將之紀錄。

完成繪製：與完成沁輪脈輪曼陀羅對話。

給自己一句肯定的祝福

作品命名：

Day 21　日期：

繪製之前：靜心自由書寫最近的事件、想法、情緒等。

繪製過程：任何想法或內在訊息將之紀錄。

完成繪製：與完成沁輪脈輪曼陀羅對話。

給自己一句肯定的祝福

作品命名：

第二十二天旅程—完成的慶祝

恭喜自己又再一次完成一段充滿勇氣及祝福的沁輪脈輪曼陀羅旅程。
找一個安靜舒適的空間，為自己點上一根白色蠟燭，泡一杯茶。
重新回到第一天的沁輪脈輪曼陀羅，看著每一天的歷程以及正面肯定句，回想每一天的發生以及經驗。
在這一段旅程中，讓你印象最深刻的是什麼？
讓你感覺到喜悅以及內在智慧展現的時刻，是在哪一天發生的？是什麼樣的情境？
這一段旅程中，你的情緒及感受是什麼樣的感覺？
看著二十一天前的自己跟現在的你，你有什麼不一樣的成長？
經過二十一天，你有什麼啟發以及新的想法發生？
如果給這二十一天旅程做出一句話的形容，你會如何形容這一段旅程。EX：充滿奇蹟的、剝了一層皮等。

是否有下一段旅程是你想要再次啟程的？

本人＿＿＿＿＿＿＿＿ 歷經 22 天的沁輪脈輪曼陀羅旅程，
對於自己的內在生命課題已經有了全新的啟發以及擴展。
再次；藉由宇宙源頭的合一祝福，見證這美好時刻。

經過這一段沁輪脈輪曼陀羅旅程，
你已經是充滿內在之光的個體，
你擁有為自己自由選擇的權利，
你已經打開「沁」的秘密，
歡迎你繼續探索你獨一無二的生命。
Vivi Lee 與你同在．無限祝福！

西元＿＿＿＿年＿＿＿＿月＿＿＿＿日